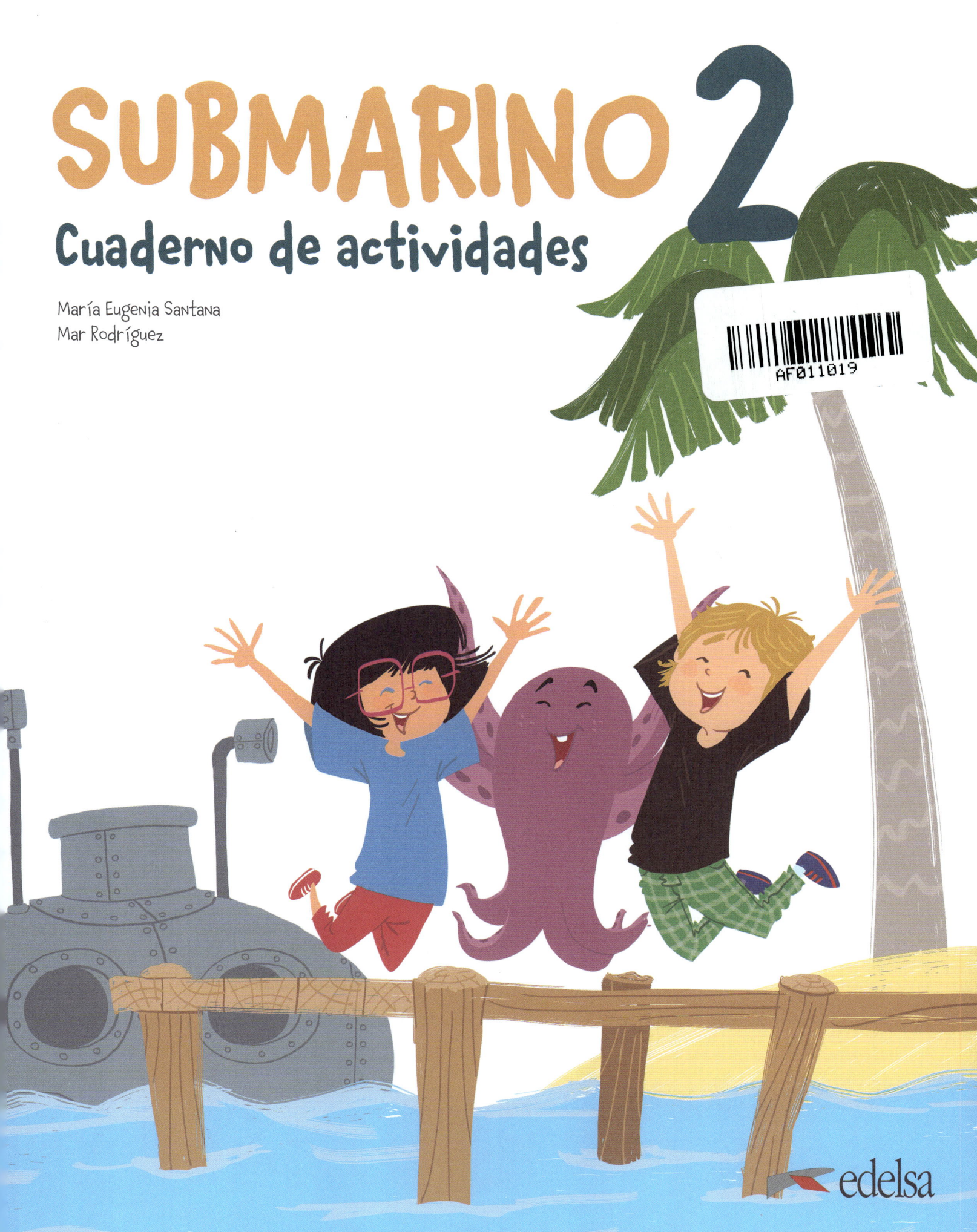

1.ª edición: 2020
4.ª impresión: 2024

© Edelsa, S. A. Madrid, 2020

© Autoras: María Eugenia Santana y Mar Rodríguez

Equipo editorial
Coordinación: Mila Bodas
Edición: María Sodore
Ilustraciones: Gustavo Mazali
Diseño de cubierta: Carolina García
Diseño: Carolina García
Maquetación de interior: Ana Martínez
Corrección: Alicia Iglesia

Fotografías: 123 rf

Audio
Dirección de locución, composición de canciones y grabación:
Fernando Navarro y Mauricio Corretjé
Voces de la locución y de las canciones:
Isabel Dimas, Mercedes Salvadores y Mauri Corretjé

ISBN: 978-84-9081-107-8
Depósito legal: M-1254-2020

Impreso en España/*Printed in Spain*

- Las normas ortográficas seguidas en este libro son las establecidas por la Real Academia Española en su última edición de la *Ortografía*.
- La editorial Edelsa ha solicitado los permisos y las autorizaciones correspondientes y da las gracias a todas aquellas personas e instituciones que han prestado su colaboración.
- Las imágenes y documentos no consignados más arriba pertenecen al Departamento de Imagen de Edelsa.
- Cualquier forma de reproducción de esta obra solo puede ser realizada con la autorización de la editorial, salvo excepción prevista por la ley. Diríjase a CEDRO (Centro Español de Derechos Reprográficos, www.cedro.org) si necesita fotocopiar o escanear algún fragmento de esta obra.

ÍNDICE

Unidad 1 — Son mis amigos — Página 4

Unidad 2 — Voy al cole — Página 14

Unidad 3 — ¿Cuál es tu deporte favorito? — Página 24

Unidad 4 — ¿Qué te gusta comer? — Página 34

Unidad 5 — ¿Cómo es tu casa? — Página 44

Unidad 6 — ¿Qué quieres ser de mayor? — Página 54

ICONOS

Escucha · Ordena · Recorta

Escribe/Dibuja · Juega · Dramatiza

Mira · Habla · Muévete

Repite · Colorea · Relaciona

Lee · Canta

Unidad 1

Son mis amigos

 **1. Escribe el nombre.**

T_____

V_____

P_____

M_____

C_____

L_____

S_____

S_____

C_____

 **2. Lee y completa las frases.**

Mateo tiene el pelo rubio y corto. Mateo tiene los ojos marrones.

Valentina tiene el pelo _____.

Valentina tiene los ojos _____.

 **3. Mira y escribe.**

Mateo tiene _____
_____.

Lleva _____
_____
_____.

4 cuatro

4. Lee y dibuja.

Valentina tiene el pelo negro. Tiene los ojos azules y gafas. Lleva una camiseta amarilla, unos pantalones azules y unos zapatos negros.

Lucas tiene el pelo castaño y corto. Tiene los ojos marrones. Lleva una camiseta rosa, unos pantalones blancos y unos zapatos marrones.

5. Lee y ayuda a Tinta a descubrir quién es.

Mateo Valentina Sofía Cristina Pablo Lucas

Tinta: ¿Tiene los ojos azules?
Niños y niñas: No, no tiene los ojos azules.
Tinta: ¿Tiene el pelo corto?
Niños y niñas: Sí, tiene el pelo corto.
Tinta: ¿Es un niño?
Niños y niñas: Sí, es un niño.
Tinta: ¿Lleva una camiseta roja?
Niños y niñas: Sí, lleva una camiseta roja.
Tinta: ¿Lleva unos pantalones verdes?
Niños y niñas: Sí, lleva unos pantalones verdes.

Es _____.

Unidad 1

1. Encuentra los pronombres personales en la sopa de letras.

```
P D H F E Y Z R A K
Y U B M L R I N O U
O A L O T N I D I S
X Y D N I Ñ O B E T
Y L Y I Y E L L A E
P T U B H Z Z S T D
```

Yo   Tú   Usted   Él   Ella

2. Relaciona.

Usted   Ella   Tú   Él   Yo

3. Completa.

Yo soy un pulpo.   Tú _____ una niña.   Él _____ un niño.

Ella _____ una niña.   Usted _____ un señor.

_____ _____   _____ eres   _____ es

_____ es   _____ _____

4. Escribe la palabra debajo de cada personaje.

contento   nervioso   relajado   triste   sorprendida

5. Completa.

| Yo estoy contento. | Tú _____ triste. | Él _____ cansado. |

| Ella _____ contenta. | Usted _____ relajado. |

| _____ _____ | _____ estás | _____ está |

| _____ está | _____ _____ |

6. Relaciona y forma los nombres de las emociones.

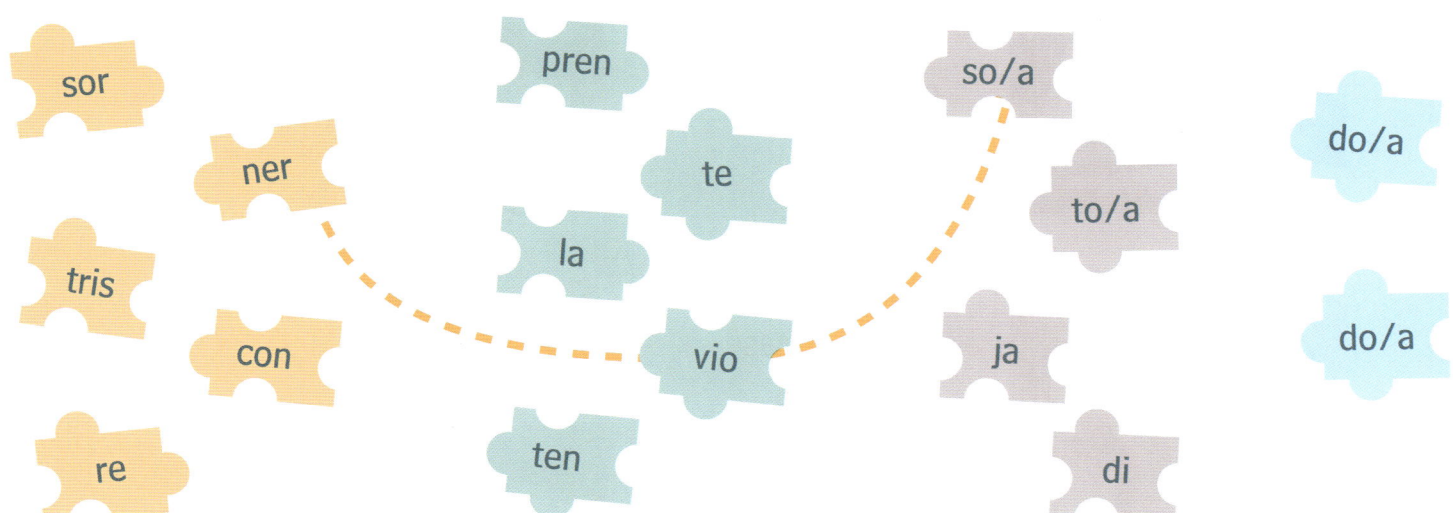

Unidad 1

1. Relaciona y di quién es.

- Él está enfadado. Es _____.
- Ella está sorprendida. Es _____.
- Ella está enfadada. Es _____.
- Él está sorprendido. Es _____.
- Él está contento. Es _____.
- Ella está contenta. Es _____.

2. Clasifica las emociones.

contento, cansada, triste, aburrida, nervioso, enfadada, sorprendido, nerviosa, contenta, enfadado, aburrido, cansado, sorprendida

Él está...	Ella está...	Él/Ella está...

3. Marca la opción correcta.

a. cansada
b. cansados
c. cansado

a. enfadados
b. enfadada
c. enfadadas

a. sorprendidas
b. sorprendidos
c. nerviosos

a. triste
b. tristes
c. enfadado

ocho

4. Ordena las palabras y escribe la frase.

porque   contento   tengo   Yo   amigos.   estoy

_____

no   porque   Tomás   tiene   está   amigos.   triste

_____

 5. Escucha, dibuja y escribe.

Tomás está _____ porque es el primer día de _____.

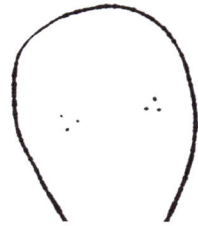
Tinta está muy _____ porque tiene muchos _____.

Valentina está _____ porque es su _____.

 6. Dibuja y escribe.

Yo me llamo _____.

Tengo el pelo _____

y los ojos _____.

¿Cómo estás? Yo estoy _____.

nueve 9

Unidad 1 — Conexión con Ciencias Sociales

Lección 4

1. Lee y relaciona con la imagen correcta.

1. Mateo comparte el libro con Cristina.

2. Tinta ayuda a Tomás a ponerse la mochila.

3. Valentina habla con Sofía.

2. Completa el poema con las palabras.

- buen
- y no me grita
- comparte
- buena
- Tengo una amiga

Tengo una amiga.
_____ que no grita ni se enfada conmigo.
Tengo un amigo, un _____ amigo que _____ y quiere ayudarme.
Tengo una amiga, muy _____ amiga que habla, ayuda _____.

LECCIÓN 5

 **1.** Lee las frases y escribe el número.

1. Todos bailamos y saltamos.

4. Todos bailamos y corremos.

2. Con la mano arriba, con la mano arriba.

5. Una palmadita, una palmadita. ¡Plas, plas, plas!

3. A la derecha, a la derecha.

6. A la izquierda, a la izquierda.

 2. Lee y dibuja.

La bandera de la República Dominicana está a la derecha del submarino.

La bandera de la República Dominicana está a la izquierda del submarino.

once 11

Unidad 1

1. Marca la opción correcta.

1. Mateo ... contento.
   a. es
   b. está
   c. soy

2. Valentina ... una niña.
   a. eres
   b. está
   c. es

3. Tinta ... sorprendido.
   a. estoy
   b. está
   c. soy

4. Pablo ... un niño.
   a. es
   b. eres
   c. está

5. El señor Calatrava ... un profesor.
   a. eres
   b. es
   c. soy

6. El señor Calatrava ... nervioso.
   a. es
   b. está
   c. eres

2. Relaciona cada pregunta con la respuesta adecuada. Después, dibuja a Pedro.

a. ¿Cómo estás?
b. ¿Eres un niño o una niña?
c. ¿Tienes los ojos azules?
d. ¿Cómo te llamas?
e. ¿Tienes el pelo castaño?
f. ¿Cómo se llama tu amiga?

1. No, tengo los ojos verdes.
2. Sí, tengo el pelo castaño.
3. Me llamo Pedro.
4. Yo estoy contento.
5. Yo soy un niño.
6. Mi amiga se llama Carla.

3. Completa el texto.

tengo · Tinta · amigos · soy · estoy · tengo

¡Hola! Me llamo _____
y _____ un pulpo.
Yo _____ muy contento
porque tengo muchos _____.
Yo _____ los ojos muy grandes
y no _____ pelo.

Repasa

 4. Lee y relaciona.

1. Valentina está muy contenta. A la derecha están Mateo y Tinta. Mateo está triste y Tinta está aburrido.

2. Valentina está muy contenta. A la izquierda están Mateo y Tinta. Mateo está triste y Tinta está nervioso.

3. Valentina está muy contenta. A la derecha está Mateo y a la izquierda está Tinta. Mateo está triste y Tinta está nervioso.

 **5. Lee y dibuja.**

¡Hola! Me llamo Sonia y soy una niña.
Tengo el pelo moreno y los ojos marrones.
Yo estoy muy cansada.
A la derecha está mi amigo Luis.
Él es un niño.
Tiene el pelo rubio y los ojos marrones.
Él está un poco enfadado.
A la izquierda está Tinta. Él es un pulpo.
Tiene los ojos negros y no tiene pelo.
Él está aburrido.

 **6. Escribe.**

¡Hola! Me llamo _____ y soy _____. Tengo el pelo _____ y los ojos _____. Yo estoy _____.
A la derecha está _____. Tiene el pelo _____ y los ojos _____. A la izquierda está _____.
Tiene los ojos _____ y _____.

Unidad 2

Voy al cole

 1. Busca estas palabras.

```
C M V P I B X C A N
M A C P I Z A R R A
Q P C U A D E R N O
P A P E L E R A U V
K Q R P N D E S T L
P X W M E D E N Y I
R E L O J L A R T B
E S T U C H E R N R
T A W U K U W R I O
C A L E N D A R I O
```

 **2. Relaciona cada objeto con su artículo.**

el   los   la   las

   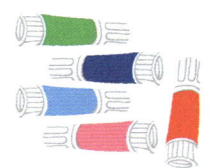 

14 catorce

3. Mira y escribe el día de la semana, como en el modelo.

| lunes | martes | miércoles | jueves | viernes | sábado | domingo |

AYER _martes_ HOY MIÉRCOLES MAÑANA _jueves_

AYER ____ HOY DOMINGO MAÑANA ____

AYER ____ HOY SÁBADO MAÑANA ____

AYER ____ HOY VIERNES MAÑANA ____

AYER ____ HOY JUEVES MAÑANA ____

AYER ____ HOY MARTES MAÑANA ____

4. Ordena las letras para formar los días de la semana.

a. d a s o b á _____
b. s i v e r e n _____
c. m o g i d o n _____
d. n u s e l _____
e. c e m é i l s o r _____
f. s t e r m a _____
g. u j e s v e _____

quince 15

Unidad 2

 1. Escucha y marca en el calendario el número que escuchas.

SEPTIEMBRE

L	M	M	J	V	S	D
1	2	3	4	5	6	7
8	9	10	11	12	13	14
15	16	17	18	19	20	21
22	23	24	25	26	27	28
29	30					

 **2.** Escribe el número correcto. Después, lee las operaciones a tu compañero/a.

7 + ☐ = 15

☐ + 6 = 20

2 + ☐ = 11

13 + 12 = ☐

31 - ☐ = 21

☐ - 2 = 12

 **3.** Corrige el calendario loco.

miércoles	lunes	jueves	martes	domingo	viernes	sábado
uno	once	veintiséis	tres	seis	quince	diez
dieciocho	veintiuno	dos	veintitrés	catorce	ocho	diecisiete
cuatro	treinta	veintisiete	trece	cinco	veinte	veinticinco
veintidós	veintiocho	siete	diecinueve	veinticuatro	nueve	dieciséis
doce	veintinueve	treinta y uno				

dieciséis

4. Relaciona

Yo teng
Tú tien
Él tien
Ella tien
Usted tien

o
e
es

5. ¿Cuántos lápices de colores tienen?

Tinta tiene tres lápices de colores, Mateo tiene seis lápices de colores y Valentina tiene cuatro lápices de colores.

Tienen _____.

6. Completa las frases y escribe el verbo en el crucigrama.

1. Ella _____ dos mochilas.
2. Valentina _____ siete años.
3. Tú _____ tres cuadernos.
4. Usted _____ un mapa.
5. Yo _____ siete lápices.

diecisiete 17

Unidad 2

1. Ordena las palabras y escribe la frase.

a   voy   escuela   patinete.   en   Yo   la

_____

tren   Tú   escuela   a   en   la   vas

_____

a   va   escuela   coche   en   la   Ella

_____

2. Lee las frases y escribe el número.

1. Hoy es lunes y Valentina va en bicicleta a la escuela. Su bicicleta es azul y roja. Valentina tiene una mochila amarilla y verde.

2. Hoy es martes y Valentina va en bicicleta a la escuela. Su bicicleta es azul y roja. Valentina tiene una mochila negra y rosa.

3. Hoy es miércoles y Valentina va en bicicleta a la escuela. Su bicicleta es azul y roja. Valentina tiene una mochila amarilla y naranja.

3. Lee y completa.

¡Hola! Soy Tinta.
Yo _____ a la escuela a pie.
Valentina _____ a la escuela en autobús.
Pablo _____ a la escuela en _____.

4. Lee y relaciona con la imagen correcta.

Yo tengo — treinta años.

Tú tienes — un perro.

Él tiene — un estuche morado y naranja.

Yo voy — en patinete a la escuela.

Ella va — en autobús a la escuela.

Él va — en moto con su madre.

diecinueve 19

Unidad 2

Conexión con Ciencias Naturales

LECCIÓN 4

 1. Completa el crucigrama.

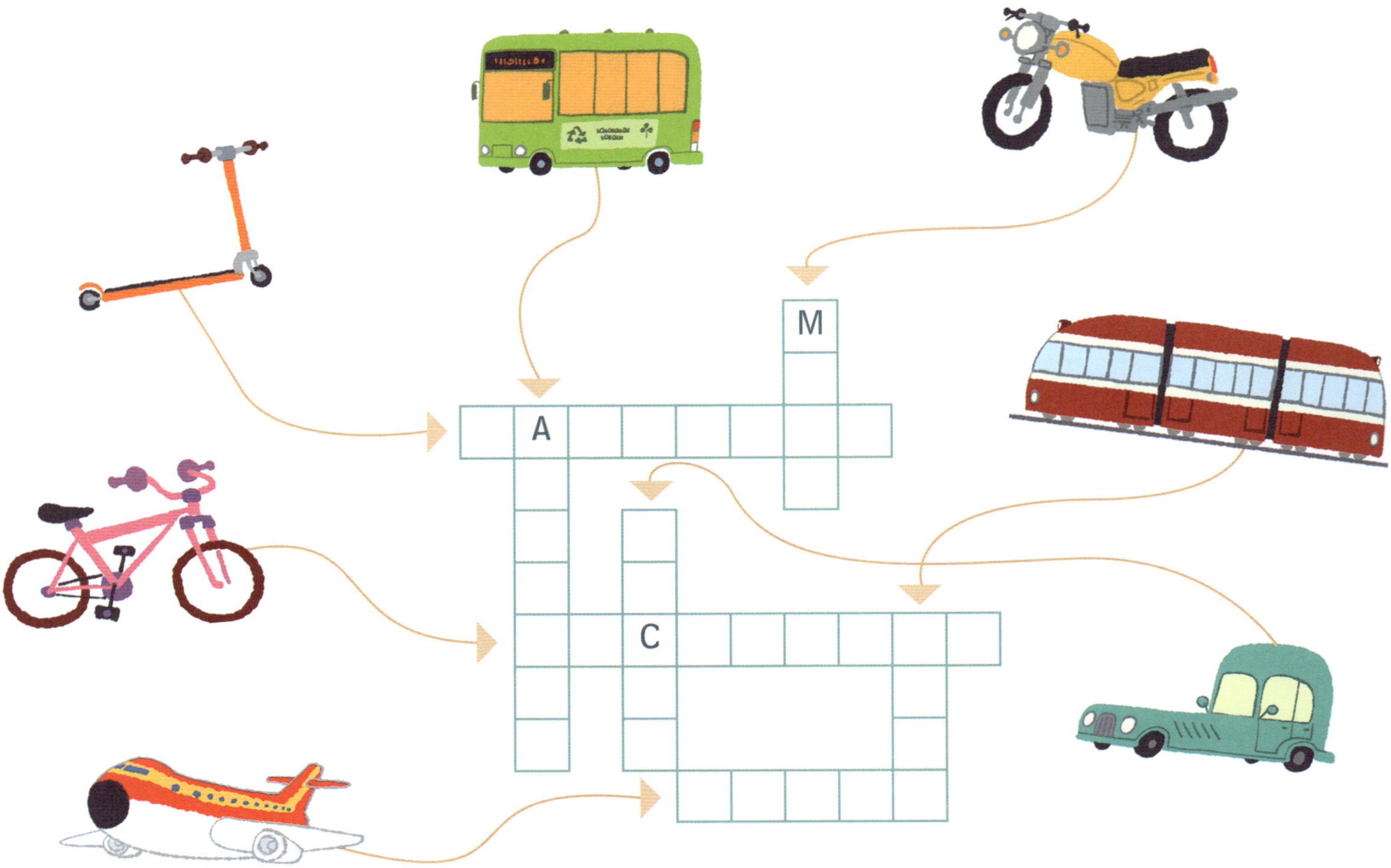

 **2.** Escribe verdadero (V) o falso (F) y colorea en verde o en rojo.

1. La bicicleta contamina más que el autobús. ☐

2. El patinete contamina menos que la moto. ☐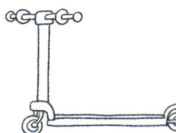

3. El coche contamina más que el tren. ☐

20 veinte

LECCIÓN 5

 1. Lee y relaciona.

¡Hola! Me llamo Antonio y soy de Chile.

¡Hola! Me llamo María y soy de Chile.

Soy chilen**a**

Soy chilen**o**

¡Hola! Me llamo Marta y soy de Chile.

¡Hola! Me llamo Manuel y soy de Chile.

 2. Lee, dibuja y colorea.

¡Hola! Me llamo Amalia, tengo siete años y soy de Chile. Voy en el teleférico con Tinta. La cabina es roja y por la ventana veo montañas. Llevo en la cabina mi bicicleta azul. ¡Adiós!

veintiuno 21

Unidad 2

1. Relaciona cada pregunta con la respuesta adecuada.

a. ¿Cómo vas a la escuela?   1. Tengo siete años.
b. ¿Cuántas letras tiene *papel*?   2. Voy a la escuela en tren.
c. ¿Qué día es hoy?   3. Me llamo Sofía.
d. ¿Cómo te llamas?   4. Tiene cinco letras.
e. ¿Cuántos años tienes?   5. Hoy es lunes 25 de octubre.

2. Colorea las imágenes y clasifica.

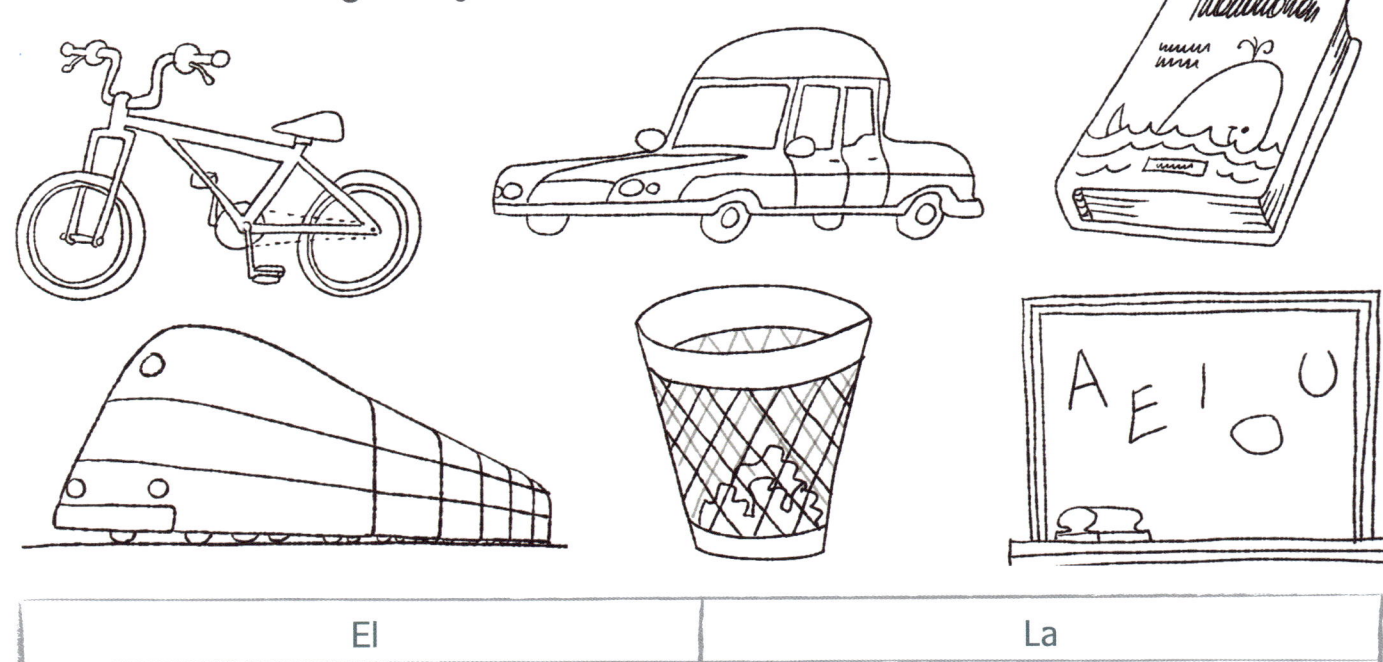

El	La

3. Escribe el color.

1. El coche es _____.

2. La bicicleta es _____.

3. La pizarra es _____.

4. El tren es _____.

5. El libro es _____.

6. La papelera es _____.

Repasa

LECCIÓN 6

4. Escucha, lee y completa las frases.

Hola, soy Valentina y voy a la escuela en autobús. Mi escuela es pequeña. Tiene cinco clases. La clase A y la clase B son para los niños y las niñas que tienen cinco y seis años. La clase C y D son para los niños y las niñas que tienen siete y ocho años. La clase E es para los niños y las niñas que tienen nueve años. Mi clase es la C y tiene una pizarra blanca grande, un mapa y un calendario. También tiene cuatro mesas grandes y veinticuatro sillas. En mi clase hay doce niñas, doce niños y un profesor. Mi profesor tiene muchos libros y cuadernos en la mesa. Los niños y las niñas tienen lápices y cuadernos.

1. Valentina va a la escuela _____.
2. Los niños y las niñas de la clase B tienen _____.
3. La clase de Valentina es la _____.
4. La clase de Valentina tiene un _____ y un _____.
5. El profesor _____ muchos libros y _____ en la mesa.
6. Los niños y las niñas _____ lápices y cuadernos _____.

5. Dibuja tu clase y descríbela.

Mi clase

Hola, soy _____
_____.
Mi clase _____
_____
_____
_____
_____
_____.

Unidad 3

¿Cuál es tu deporte favorito?

 1. Escribe el deporte.

_____   _____   _____

_____   _____

 **2.** Relaciona los tres elementos.

- el tenis
- la natación
- el fútbol
- el baloncesto
- la gimnasia

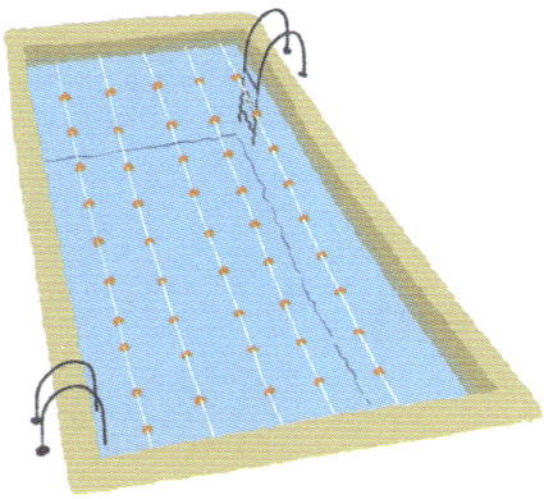

- la pelota
- la canasta y la pelota
- la piscina
- la raqueta y la pelota
- el gimnasio

3. Completa y descubre la palabra secreta.

JUGA__OR   BALONC__STO   __ISCINA   GIMNASI__

__AQUETA   __ENIS   P__LOTA

La palabra secreta es _____.

4. Lee y marca el intruso.

a. piscina / tenis / natación
b. pelota / baloncesto / piscina
c. natación / pelota / raqueta
d. pelota / gimnasia / gimnasio
e. raqueta / tenis / gimnasio

5. Dibuja tu deporte favorito y pregunta a tu profesor/-a.

¿Cómo se dice en español? _____

veinticinco 25

Unidad 3

1. Relaciona.

| tenis |
| baloncesto |
| fútbol |

• cinco jugadores
• once jugadores
• dos o cuatro jugadores

2. Mira y completa las frases.

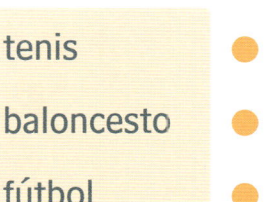

Valentina juega al fútbol.
Valentina no juega al tenis.
Valentina no juega al baloncesto.

Mateo _____.
Mateo _____.
Mateo _____.

Tinta _____.
Tinta _____.
Tinta _____.

3. Escucha y clasifica.

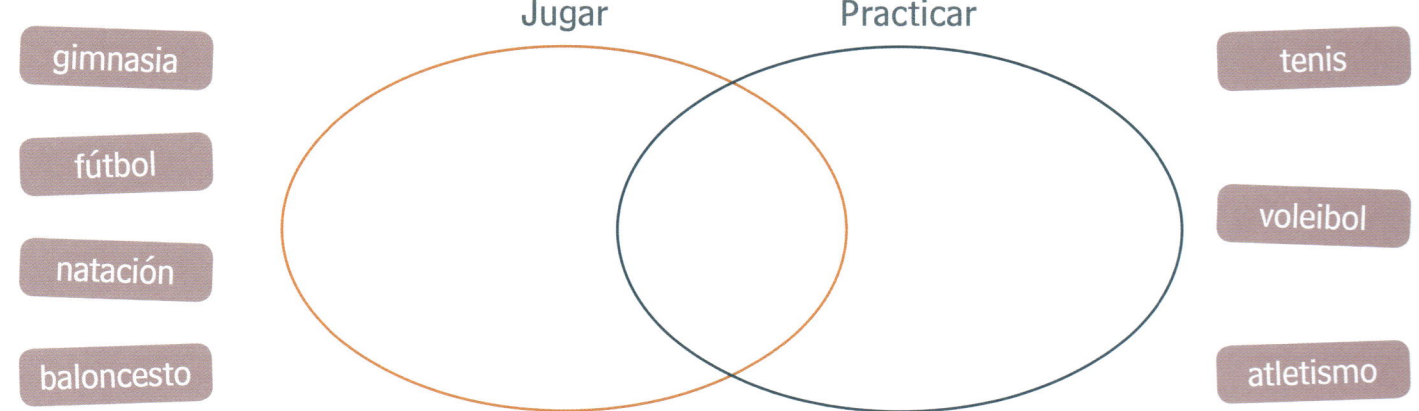

LECCIÓN 2

4. Ordena las palabras y escribe las frases.

| Mateo | los | juega | lunes. | fútbol | al |

_____

| natación | los | Valentina | practica | martes. |

_____

| practica | miércoles. | Sofía | gimnasia | los |

_____

| jueves. | Pablo | al | juega | los | tenis |

_____

| baloncesto | juega | Tinta | al | viernes. | los |

_____

5. Responde a estas preguntas.

¿Cuál es tu deporte favorito? _____

¿Qué deporte practicas? _____

¿Cuándo practicas tu deporte favorito? _____

6. Pregunta a tu amigo, completa la tabla y escribe frases.

	Yo	Mi amigo
¿Cuál...		
¿Qué...		
¿Cuándo...		

Mi deporte favorito es _____.
Practico _____ los _____.
El deporte favorito de _____ es _____.
_____.

veintisiete 27

Unidad 3

 1. Escucha y ordena.

☐ El equipo de los niños y niñas es el campeón.

☐ El club de fútbol de niños y niñas tiene siete jugadores.

☐ El fútbol es divertido para los niños y las niñas.

☐ Tengo una idea.

☐ El fútbol es fácil para mí.

☐ ¡No es justo!

☐ El equipo de niños tiene la pelota, ¡cuidado!

☐ Lo siento. El fútbol es un deporte para niños.

☐ Quiero participar en el club de fútbol.

 2. Escribe una frase para cada viñeta.

_____
_____

_____
_____

_____
_____

_____
_____

3. Ordena las letras para formar palabras.

a. i l á f c _____
b. i d o á r p _____
c. i l c d í f i _____
d. i o v d i e r t d _____
e. o e n l t _____
f. a r b u r d i o _____

4. Completa.

El voleibol no es lento, es
_____.

La gimnasia no es fácil, es
_____.

La natación no es aburrida, es
_____.

veintinueve 29

Unidad 3 — Conexión con Matemáticas

LECCIÓN 4

1. Completa el crucigrama.

1. 13
2. 11
3. 19
4. 12
5. 16
6. 18
7. 17
8. 15

2. Escribe cuántos niños y cuántas niñas practican cada deporte.

Dieciséis niños y diez niñas juegan al baloncesto. En total veintiséis niños juegan al baloncesto.

_____
_____
_____
_____

30 treinta

LECCIÓN 5

1. Busca estas palabras.

- practicar
- pelota
- equipo
- jugadores
- deporte

K	E	J	F	T	I	U	I	P	B	C	B
U	Q	J	N	S	E	Q	U	I	P	O	U
H	S	P	E	L	O	T	A	D	I	G	S
H	U	J	K	L	P	T	F	J	R	F	Q
Y	A	O	R	U	T	V	U	P	Ñ	X	T
J	U	G	A	D	O	R	E	S	T	S	L
L	A	Z	P	R	A	C	T	I	C	A	R
A	R	M	C	T	V	S	E	C	U	T	V
O	N	P	C	Y	T	E	W	A	N	Ñ	O
V	G	Q	A	Y	T	R	X	U	K	P	L
G	N	Y	C	T	Z	I	N	O	Ñ	G	V
T	P	E	S	C	D	E	P	O	R	T	E

2. Mira, marca las diferencias y escribe.

A

B

a. _____.
b. _____.
c. _____.
d. _____.

treinta y uno

Unidad 3

1. Indica quién es el equipo ganador.

Equipo azul		Equipo verde	
👍	9	👎	7
👎	7	👍	9
Empate	2	Empate	2
TOTAL PUNTOS		TOTAL PUNTOS	

2. Escribe una frase para cada dibujo.

a. _____.

b. _____.

c. _____.

d. _____.

3. Escucha y escribe el nombre del deporte.

a. _____ c. _____

b. _____ d. _____

Repasa

 4. Escribe frases para cada dibujo utilizando las palabras de cada color.

El niño   en la piscina.
en el gimnasio.   al baloncesto.   Mateo   al voleibol
juega   nada   La niña   practica
Valentina   gimnasia   juega   con una pelota.
al tenis   con la raqueta.   Tinta   juega
Sofía   juega   al fútbol   con una camiseta rosa.

_____.

_____.

_____.

_____.

_____.

_____.

treinta y tres 33

Unidad 4

¿Qué te gusta comer?

 1. Mira la nevera y escribe el nombre de cada alimento.

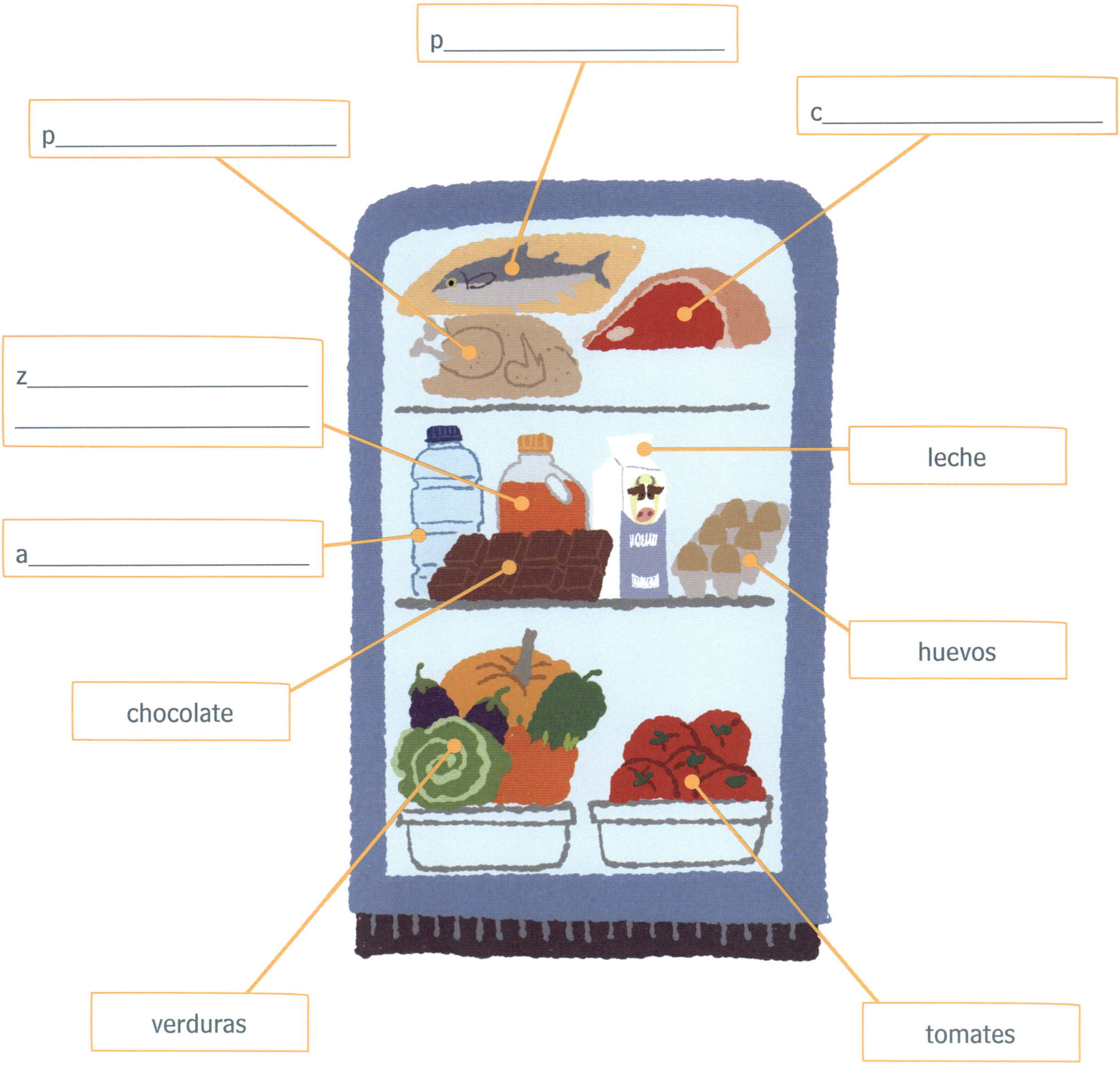

p_____

p_____

c_____

z_____

a_____

leche

chocolate

huevos

verduras

tomates

treinta y cuatro

2. Numera las palabras que escuchas.

3. Completa con *el, la, los, las*.

a. el pescado　　　　　_____ pescados
b. _____ huevo　　　　los huevos
c. la verdura　　　　　_____ verduras
d. _____ tomate　　　los tomates
e. _____ carne　　　　las carnes
f. _____ ensalada　　las ensaladas

treinta y cinco 35

Unidad 4

1. Relaciona.

Desayuno
Almuerzo
Merienda
Cena

2. Busca las frutas.

plátanonaranjamanzanauvas

3. Clasifica las palabras.

A mí me gust**a**	A mí me gust**an**

treinta y seis

4. Marca la opción correcta.

1. A mí me gusta...
   a. las patatas
   b. el chocolate
   c. los helados

2. A ti no te gustan...
   a. la naranja
   b. el pollo
   c. las manzanas

3. A ... no te gusta el pollo.
   a. me
   b. le
   c. ti

4. A Tinta ... gustan los helados.
   a. le
   b. me
   c. te

5. Ordena las oraciones.

el · gusta · me · desayuno. · para · mí · A · el · pan

_____

para · pan · le · el · gusta · él · almuerzo. · A · el

_____

gusta · te · pan · la · para · merienda. · ti · A · el

_____

6. Habla con tu compañero/a.

¿Qué te gusta más: comer verduras o pasta?

Me gusta más comer pasta.

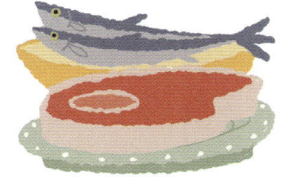

treinta y siete 37

Unidad 4

1. Escribe una frase para cada viñeta.

2. Escucha el audio 17 del libro del alumno y completa.

MATEO	VALENTINA
Primer plato	Primer plato
Segundo plato	Segundo plato
Postre	Postre

treinta y ocho

3. **Clasifica estos alimentos.**

la carne   los huevos   las verduras   el pollo   el pescado

las patatas   la leche   la ensalada   el helado

el arroz   la pasta   el yogur

Primer plato	Segundo plato	Postre

4. **Habla con tu compañero/a y escribe la frase.**

A Valentina le gustan las uvas.

Unidad 4

Conexión con Ciencias Naturales

Lección 4

 **1.** Dibuja tu plato saludable.

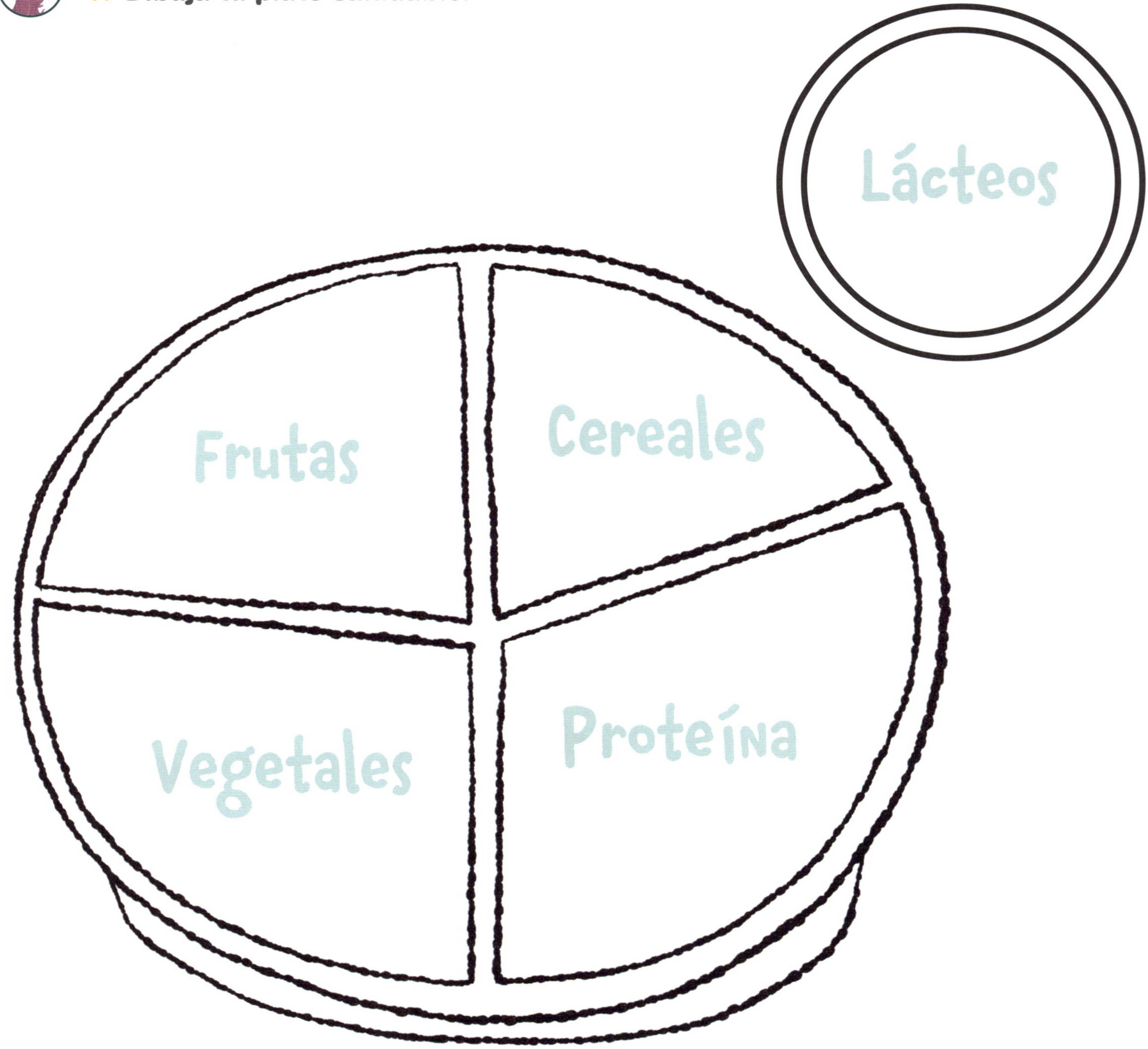

Lácteos

Frutas

Cereales

Vegetales

Proteína

 **2.** Explica tu plato a tus compañeros/as.

Mi plato es saludable porque tiene...

40 cuarenta

LECCIÓN 5

1. Busca en la sopa de letras los ingredientes del chivito.

pan

carne

tomate

queso

huevo

mahonesa

jamón

K	E	J	M	T	I	U	I	P	B
U	Q	J	A	C	E	Q	Q	I	P
H	S	P	H	A	T	T	U	D	I
H	U	J	O	R	P	T	E	J	R
Y	A	O	N	N	T	V	S	P	Ñ
L	U	G	E	E	O	R	O	S	T
L	A	Z	S	R	A	C	T	I	C
A	J	M	A	T	V	S	E	C	U
O	A	P	C	Y	T	E	W	Y	N
V	M	Q	A	Y	T	R	P	A	N
G	O	Y	H	U	E	V	O	O	Ñ
W	N	U	R	N	P	U	L	O	G
Y	U	G	E	S	X	A	T	G	R
T	O	M	A	T	E	W	M	M	A
T	P	E	R	C	D	E	P	O	R

2. Observa y ordena los dibujos.

cuarenta y uno 41

Unidad 4

1. **Ordena las letras.**

a. a p n _____
b. l e c e s r a e _____
c. h s e v u o _____
d. l l p o o _____
e. a p d s c o e _____
f. d a a a e n s l _____
g. c l e e h _____
h. r u d s r e v a _____

2. **Lee y encuentra el intruso.**

a. leche / zumo de manzana / agua / pan
b. carne / yogur / huevos / pollo
c. uvas / manzanas / pasta / naranjas
d. chocolate / helado / yogur / verduras

3. **Completa el crucigrama.**

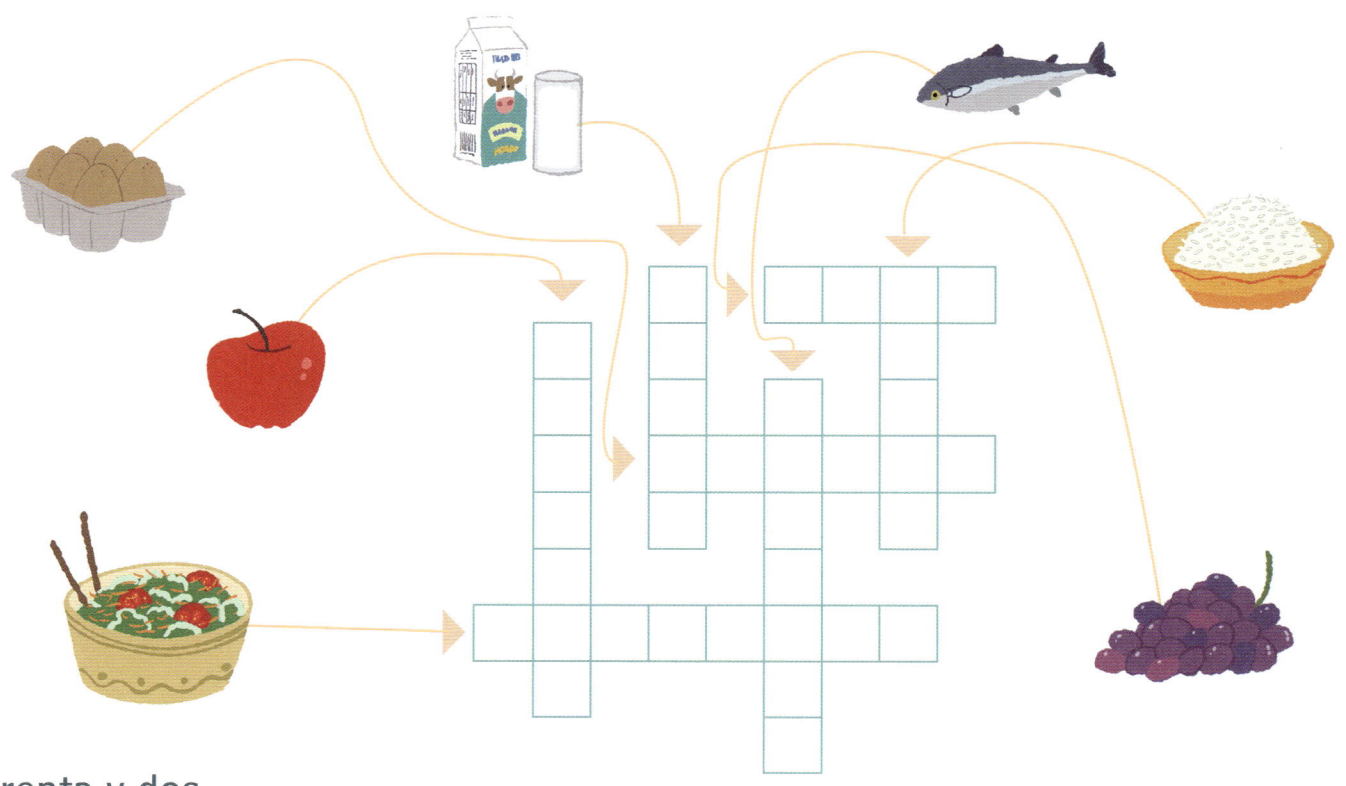

42 cuarenta y dos

Repasa

 4. Completa la tarjeta del bingo y después juega con tus compañeros.

 **5.** Señala si estás de acuerdo o no.

1. El chivito tiene pocos ingredientes.

2. Es importante comer verduras y frutas.

3. La merienda se come a las siete de la mañana.

4. El plátano es una fruta.

5. El almuerzo de mi colegio es saludable.

cuarenta y tres 43

Unidad 5

¿Cómo es tu casa?

1. Escribe el nombre.

el espejo   la cama   la televisión   la nevera   la silla

el sofá   la ducha   la mesa

2. Escucha, relaciona y escribe.

la _____

el _____

el _____

el _____

el _____

cuarenta y cuatro

LECCIÓN 1

 3. Busca en la sopa de letras las partes de la casa y los muebles.

| cama | ducha | televisión | espejo | nevera | sofá |

| salón | dormitorio | baño | jardín | cocina | mesa |

```
T D S C A M A A U L A P O
I E O C S O O R R L O A P
O O F M E S A A L N D D I
C C A N S T L I O A O A A
E E O C E R S I S E R E E
N A A C A C S T R S M L Q
O E P C I I A D I A I E T
A B V E V N A U E L T E B
E S P E J O A C A O O N E
C O L S R S B H I N R A C
I E A Q M A U A R R I T U
T H J A R D I N I S O C L
D A N B A Ñ O E F P I V A
```

4. Escucha, escribe y dibuja.

¡Hola! Me llamo Sofía y esta es mi casa. En mi casa hay dos _____, un salón, un baño y una _____. En el salón hay un sofá verde y una televisión grande. En el baño hay un espejo grande y hay una _____. En la cocina hay una mesa _____ y cuatro _____ naranjas. En un dormitorio hay una _____ grande. En otro dormitorio hay dos camas pequeñas.

cuarenta y cinco

Unidad 5

1. Lee y completa el árbol genealógico de Valentina.

¡Hola! Soy Valentina y esta es mi familia. Mi hermano se llama Samuel y mi hermana se llama Elena. Mi mamá se llama Silvia y mi papá se llama Daniel. Mi tía se llama María y mi tío se llama Manolo. Mi primo se llama Óscar y mi prima se llama Lola. Tengo dos abuelos: Antonio y José. Y mis abuelas se llaman Luisa y Carmen.

2. Lee y escribe.

a. La mamá de mi papá es mi   A _ _ _ _ A

b. El hermano de mi mamá es mi   T _ O

c. La hermana de mi primo es mi   P _ _ _ A

d. El papá de mi mamá es mi   A _ _ _ _ O

e. La hermana de mi mamá es mi   T _ A

3. Dibuja el árbol genealógico de tu familia y preséntalo.

4. Completa el crucigrama.

1. Ella _____ en el restaurante.
2. Yo _____ en el salón.
3. Tú _____ en el dormitorio.
4. Usted _____ en el baño.
5. Valentina _____ en el jardín.
6. Tinta _____ en la escuela.
7. Él _____ en la cocina.

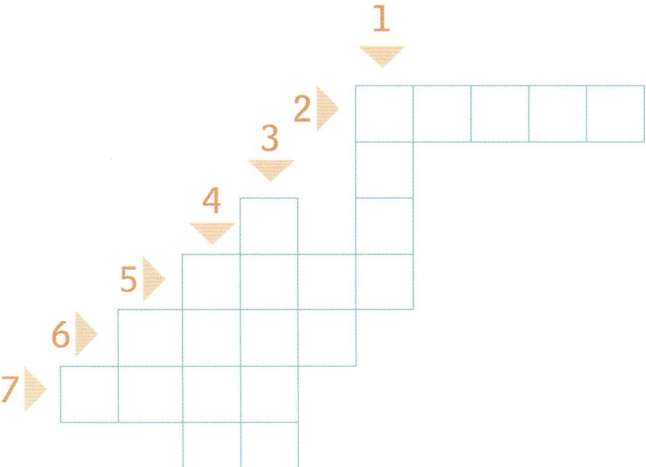

cuarenta y siete 47

Unidad 5

  1. Lee y relaciona cada texto con la imagen correspondiente.

1. Clara vive con su madre, su padre y su hermana en una casa muy grande. Clara está en el salón con su hermana. En el salón hay un sofá morado y no hay televisión.

2. Clara vive con su madre, su padre y su hermana en una casa muy grande. Clara está en el salón con su hermana. En el salón hay un sofá morado, una mesa marrón y una televisión.

3. Clara vive con su madre, su padre y su hermana en una casa muy grande. Clara está en el salón con su hermana y su madre. En el salón hay un sofá morado, una mesa marrón y una televisión.

  2. Completa.

	VIVIR	ESCRIBIR
Yo	vivo	
Tú		escribes
Él		
Ella	vive	
Usted		escribe

cuarenta y ocho

LECCIÓN 3

 3. Lee y completa con el verbo *vivir*.

¡Hola!
Soy Tinta.
Yo _____ con todas las criaturas del mar. Valentina _____ con sus padres, sus abuelos y sus hermanos. Mateo _____ con su mamá.
¿Y tú?

 4. Forma frases y relaciónalas con la ilustración adecuada.

Yo vivo

Tú estás

Hay

Tú vives

Él está

con todas las criaturas del mar.

en el dormitorio.

un frigorífico, una mesa y dos sillas.

en el baño.

con mi mamá, mi papá y mi abuelo.

Unidad 5

Conexión con Ciencias Sociales

Lección 4

1. Lee y dibuja.

1. Mateo hace la cama.

2. Tinta limpia la clase del señor Calatrava.

3. Lucas cocina con su abuelo.

2. Lee el texto y responde **verdadero (V)** o **falso (F)**.

En casa es importante colaborar con la familia.
Yo me llamo Valentina y me gusta hacer la cama con mi abuelo.
Mi abuela y mi padre cocinan y mi hermano pone la mesa.
Mi hermana limpia el baño con mi madre.

- a. El abuelo cocina. ☐
- b. La mamá pone la mesa. ☐
- c. La hermana de Valentina limpia el baño. ☐
- d. Valentina hace la cama. ☐

1. Mira y marca con un círculo los ingredientes de la paella.

2. Lee y dibuja la paella.

¡Hola! Me llamo Fernando, tengo siete años y soy de España. Los domingos como paella con toda la familia. Mi tío cocina una paella que está muy buena. La paella de mi tío tiene arroz, salsa de tomate, pollo y pescado.

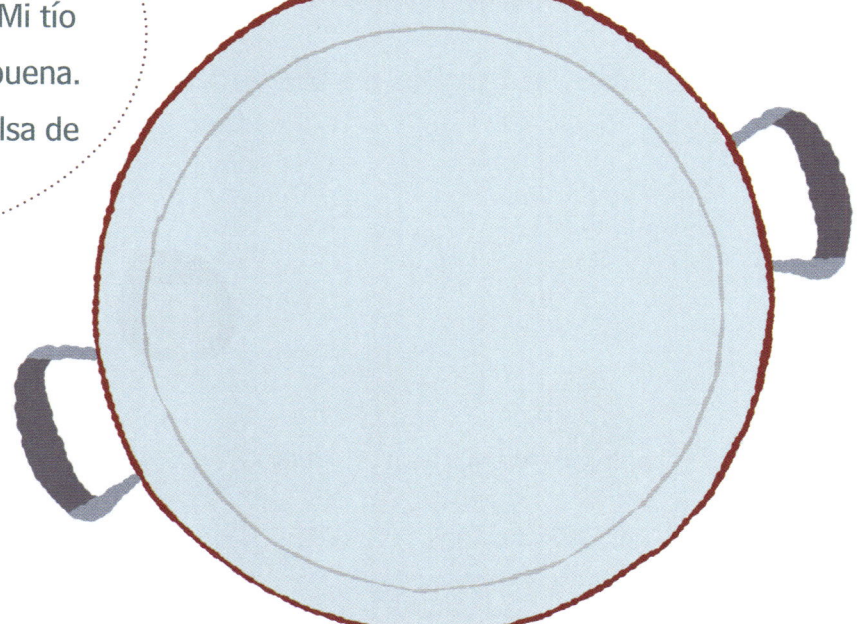

3. Lee y marca si es **verdadero (V)** o **falso (F)**.

a. Fernando es español. ☐

b. A Fernando no le gusta la paella de su tío. ☐

c. En la paella del tío de Fernando hay pescado. ☐

d. En la paella del tío de Fernando no hay pollo. ☐

cincuenta y uno 51

Unidad 5

1. **Relaciona cada pregunta con la respuesta adecuada.**

a. ¿Dónde vive Tinta?
b. ¿Qué es?
c. ¿Ayudas a poner la mesa en casa?
d. ¿Cuántos hermanos tienes?

1. Es un sofá verde.
2. Vive en el mar.
3. Tengo dos hermanos.
4. Sí, ayudo a mi padre a poner la mesa.

2. **Juega y practica los verbos.**

	1 Yo	2 Tú	3 Él	4 Ella	5 Usted
1 Practicar					
2 Comer					
3 Vivir					

3. **Mira la familia de Valentina y completa el crucigrama.**

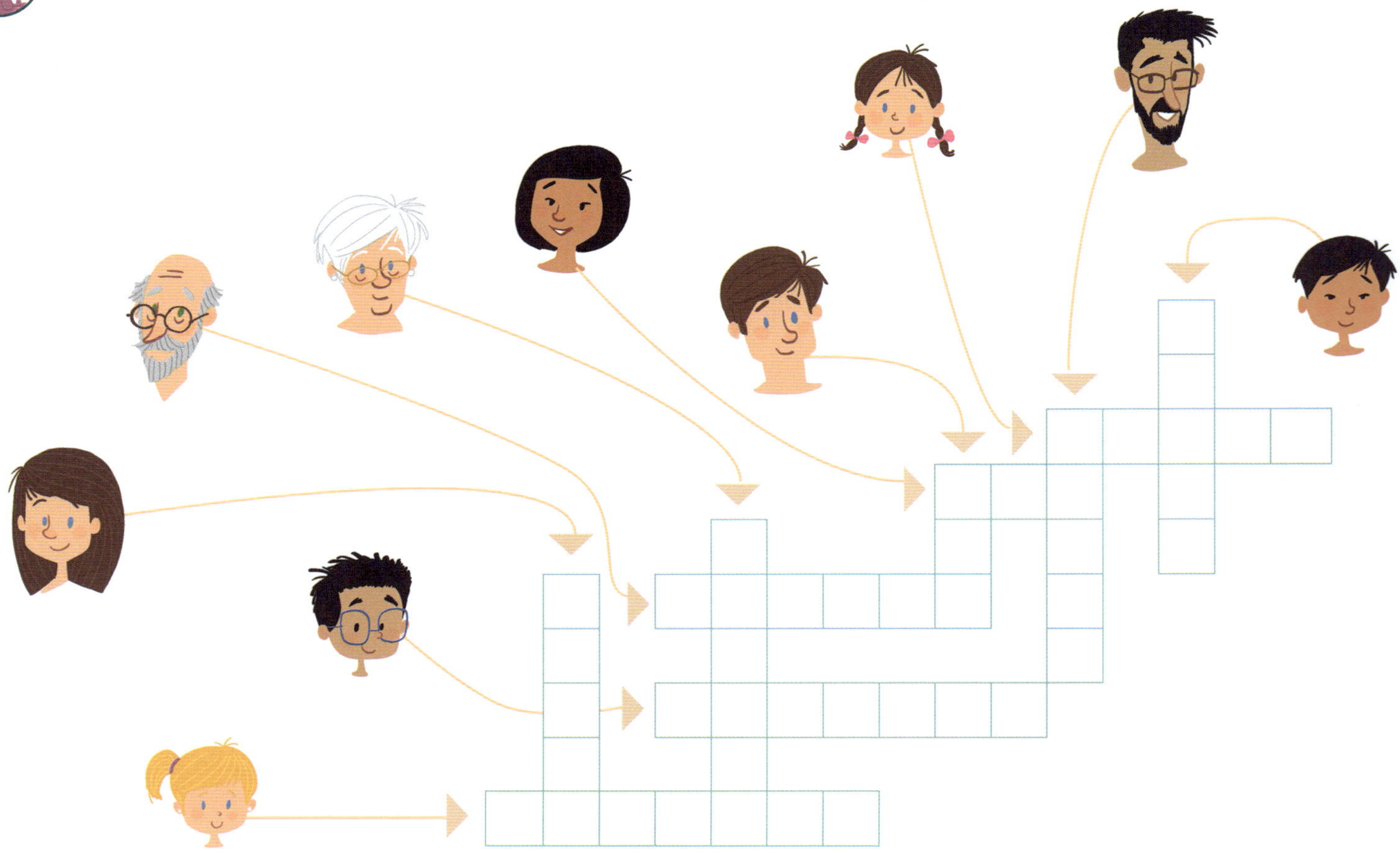

Repasa

LECCIÓN 6

4. Mira y completa las frases.

Hay dos _____.

Hay _____.

_____.

_____
y _____.

5. Completa el texto y dibuja.

¡Hola! Me llamo _____.
Tengo _____ años. En mi dormitorio
hay _____.
En mi dormitorio no hay _____
_____
_____.

cincuenta y tres 53

Unidad 6

¿Qué quieres ser de mayor?

 1. Escucha, completa el dibujo, colorea y escribe.

Él es _____
y lleva botas _____.

Ella es _____
y lleva un vestido _____.

 2. Clasifica las profesiones y escribe *el* o *la*.

profesora   bombero   médico   peluquera   mecánico   profesor

bombera   médica   mecánica

EL	LA
	la profesora

 **3. Busca y escribe.**

a. Hay _____ médicos.

b. Hay _____ veterinarios.

c. Hay _____ profesores.

d. Hay _____ mecánicos.

 4. Mira las imágenes, escucha, lee y marca la opción correcta.

 ¡Hola! Me llamo María y soy profesora de español. En mi clase hay muchos libros y lápices de colores.

 ¡Hola! Me llamo Alberto y soy peluquero. Me gusta cortar el pelo con mis tijeras negras porque son mis tijeras favoritas.

 ¡Hola! Me llamo Laura y soy bombera. Mis pantalones son rojos y mi chaqueta también.

Unidad 6

1. Completa el crucigrama.

 2. Lee, marca si es verdadero (V) o falso (F) y dibuja una de las opciones correctas.

a. La futbolista juega al baloncesto. ☐

b. La profesora está en la escuela. ☐

c. El médico está en el restaurante. ☐

d. El peluquero juega al fútbol. ☐

3. Lee y completa con el verbo *querer*.

¡Hola! Soy Sofía. Yo _____ ser cocinera y preparar comidas y cenas deliciosas. Lucas _____ ser futbolista y jugar al fútbol. Cristina _____ ser veterinaria y estar con animales. Tú, ¿qué _____ ser de mayor?

¡Hola! Soy _____. Yo quiero ser de mayor _____.

4. Completa los verbos.

	QUERER	BEBER	CORRER
Yo	quiero		
Tú		bebes	
Él			corre
Ella	quiere		
Usted		bebe	

5. Lee, mira y relaciona.

a. Yo quiero ser mecánico.

b. Tú quieres ser cocinera.

c. Él quiere ser veterinario.

d. Ella quiere ser bombera.

Unidad 6

1. Ordena las palabras, escribe la frase y dibuja.

| ser | quiero | Yo | médico. |

1. _____

| quiere | ser | cocinero. | Él |

2. _____

2. Clasifica las palabras en la columna adecuada.

| los animales | ayudar | los coches | cocinar | cortar el pelo | enseñar | jugar al fútbol |

ME GUSTA	ME GUSTAN

3. Escribe y dibuja.

Me gusta _____ Me gustan _____

LECCIÓN 3

 **4. Relaciona las columnas.**

La peluquera tiene      libros.

El profesor tiene      una pelota.

La futbolista tiene      unas tijeras.

 5. Relaciona las columnas.

Yo quiero   • ayudar.

Me gusta   • ser profesora.

Me gustan   • ser veterinario.

Ella quiere   • juega al fútbol.

El peluquero corta • el pelo.

El futbolista   • los coches.

 6. Ordena las letras.

a. A Lucas le gusta jugar al   T L Ú B F O

b. A Tinta le gusta cortar el   L P O E

c. A Cristina le gustan los   I S R L O B

d. A Valentina le gusta   Ñ S E E R A N

cincuenta y nueve 59

Unidad 6

Conexión con Ciencias Sociales

LECCIÓN 4

1. Mira y escribe.

Hay _____ profesor.   Hay _____ profesores.
Hay _____ cocinero.   Hay _____ cocinero.
Hay _____ directora.   Hay _____ directora.
Hay _____ limpiadores.   Hay _____ limpiadores.

2. Lee y marca si es **verdadero (V)** o **falso (F)**. Si es falso, escribe la frase correcta.

a. La profesora prepara la comida. ☐   c. El limpiador limpia toda la escuela. ☐
b. La cocinera enseña español. ☐   d. El conserje tiene las llaves de todas las clases. ☐

_____.
_____.

3. Dibuja a las personas que trabajan en tu escuela.

a) Escribe el nombre de la persona.   b) Escribe la profesión.

LECCIÓN 5

1. Lee y relaciona.

¡Hola! Me llamo Pedro. Soy de Bolivia y soy guía para turistas.

¡Hola! Me llamo Sara. Soy de Bolivia y soy guía para turistas.

Soy boliviana

Soy boliviano

2. Relaciona cada país con su bandera.

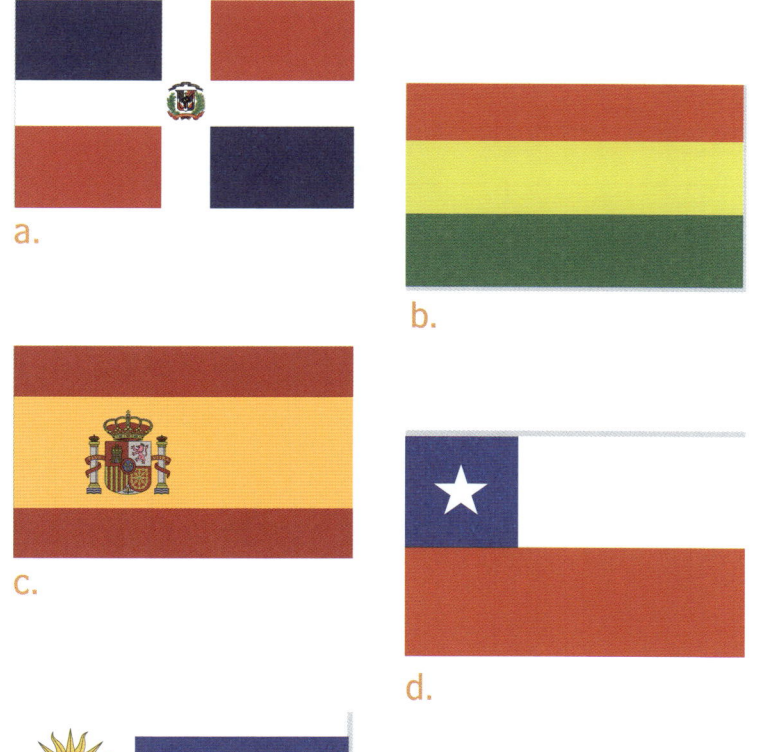

a.

b.

c.

d.

e.

f.

España

Bolivia

República Dominicana

Chile

Uruguay

Guatemala

sesenta y uno 61

Unidad 6

1. Lee y responde a las preguntas.

¡Hola! Soy Teresa y tengo siete años.
Mi color favorito es el azul y me gusta jugar al baloncesto.
Esta es mi familia.
Mi mamá se llama Antonia y es cocinera.
Mi papá se llama Oliver y es mecánico de coches.
Mi hermano se llama Raúl, tiene diez años y quiere ser futbolista.
Yo quiero ser guía para visitar muchos países.

a. ¿Cuántos años tiene Teresa? _____.

b. ¿Cuál es el color favorito de Teresa? _____.

c. ¿Cuántos hermanos tiene Teresa? _____.

d. ¿Qué quiere ser de mayor Teresa? _____.

2. Completa las frases.

a. La mamá de Teresa es _____.

b. El papá de Teresa es _____.

c. El hermano de Teresa quiere ser _____.

3. Dibuja la familia de Teresa.

La familia de Teresa

Repasa

 **4.** Lee y completa.

TODO SOBRE MÍ
ME LLAMO: ....

TENGO .... AÑOS

JUEGO AL: ....

YO VIVO ....

MI FAMILIA

YO VOY A LA ESCUELA: ....

MI COMIDA FAVORITA ES: ....

ME GUSTA: ....

Pistas de audio

Unidad 1 • Son mis amigos

 ¿Cómo estás?

Unidad 2 • Voy al cole

 ¿Qué día es?
 Mi clase

Unidad 3 • ¿Cuál es tu deporte favorito?

 Practicar y jugar
 Las aventuras de Tinta
 Los deportes

Unidad 4 • ¿Qué te gusta comer?

 Los alimentos

Unidad 5 • ¿Cómo es tu casa?

 ¿Dónde están?
 La casa de Sofía

Unidad 6 • ¿Qué quieres ser de mayor?

 ¿Qué es?
 ¿Quién es y cómo es?